서 안능샀습니다. 공부시간에

나에 장난치지 안겠습다.

다. 공부시간에 떠들지 안겠습

난 치지 ㅇ   공부시간어

니다.   장난치지

안겠습니다. 공부시간에 떠들

l간에 장난 (치치) 안게습니다.

유치원에 간 데이빗

글·그림 데이빗 섀논

지경사

작가의 말

몇 해 전 일이다.

어느 날, 나는 엄마로부터 내가 어렸을 때 만들었던 그림책 한 권을 전해
받았다. <안 돼, 데이빗!>이라는 그 그림책은 데이빗이 온갖 말썽을 부리고
있는 그림들과 '안 돼'와 '데이빗', 이 두 단어로 가득 차 있었다(이 두 단어가
당시 내가 쓸 줄 아는 유일한 단어였기 때문이다).

나는 우리가 자라면서 귀가 따갑게 들어 온 '안 돼!'라는 말이 우리에게 어떤
의미가 있는지 다시 한 번 생각해 보고 싶었다. <안 돼, 데이빗!>은 이런
뜻에서 만들어진 책이다.

또다시 데이빗의 말썽이 시작되었다. 이번엔 데이빗의 선생님이 '안 돼,
데이빗!' 하고 데이빗을 꾸짖는다.

물론 '그래'는 좋은 말임에 틀림없다. 그러나 이 말이 복도를 정신 없이
뛰어다니는 아이들을 멈추게 할 수 있을까.

유치원에 간 데이빗

1999년 10월 15일 초판 1쇄 발행
2014년 6월 10일 초판 24쇄 발행

글·그림 데이빗 섀논
펴낸이 김병준
펴낸곳 (주)지경사
주소 서울특별시 강남구 역삼동 790-14호
전화 (02)557-6351(대표) / (02)557-6352(팩스)
등록 제10-98호(1978. 11. 12.)

잘못 만들어진 책은 바꾸어 드립니다.
편집 및 교정 : 박혜진
ISBN 978-89-319-0437-6
인터넷 지경 홈페이지를 이용하면 (주)지경사의 모든 정보를 보실 수 있습니다.
www.jigyung.co.kr

데이빗의 선생님은 늘 이렇게 말씀하셨죠……

안 돼, 데이빗!

떠들지 마.
친구를 밀지 마.
교실에서 뛰지 마.

또 늦었구나!

5

9 7 +3 =10 14

2 =

자리로 돌아가.

4 + 4 = 7 ?

공부 시간에
껌 씹으면 안 돼!

9

데이빗, 그게

한눈 팔지 마!

데이빗, 차례를

지키지   못하겠니!

테이빗!

쉬는 시간 끝났다!

25

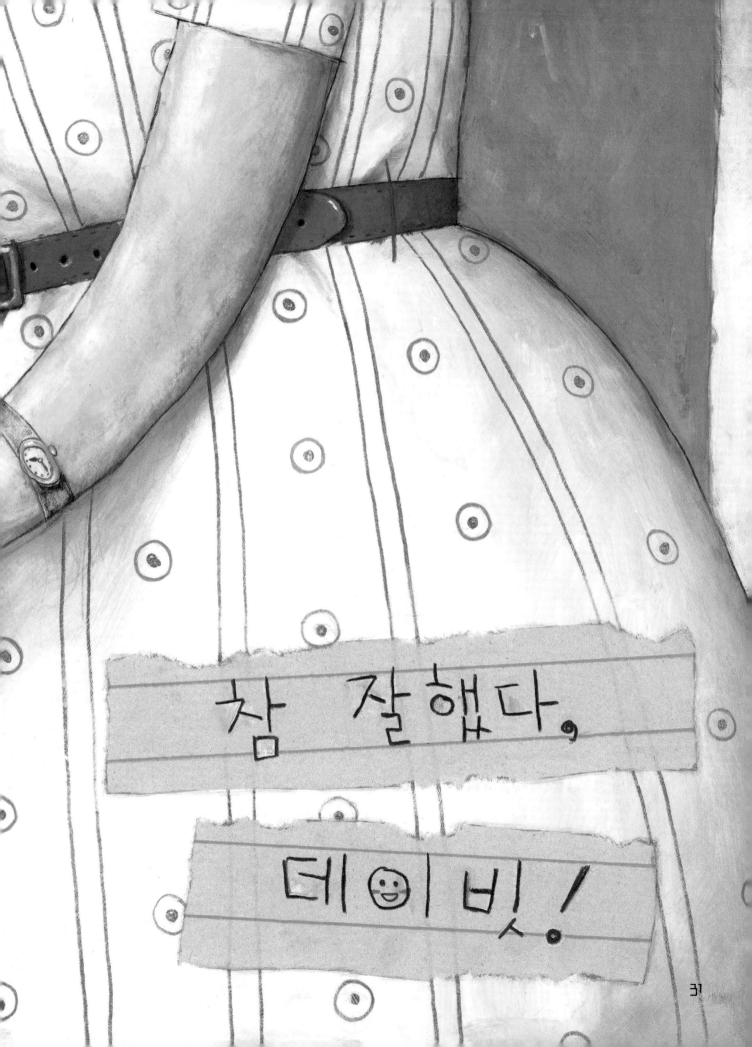

서 있능 있습니다. 공부 시간에

간에 장난치지 않겠습다.

다. 공부시간에 떠들지 않겠습

난 치지 이   공부시간

니다.   장난치지

안겠습니다. 공부시간에 떠

시간에 장난 (치지) 안겠습니다.

떠드지 안게습니다 공부시간